LE LIEU OÙ SE TENAIT
LE DOUBLE ANNIVERSAIRE
DE SHIN ET REIRA

ÉTAIT UNE SUPERBE VILLA
DU QUARTIER DE RÉSIDENCES
SECONDAIRES DE KAMAKURA

ELLE ÉTAIT TELLEMENT VASTE
QU'ON POUVAIT FACILEMENT
IMAGINER QUE CENT PERSONNES
PUISSENT Y ÊTRE INVITÉES
SANS PROBLÈME

JE NE VOIS PAS EN
QUOI C'EST UNE "PETITE
SOIRÉE TRANQUILLE"

DÉCIDÉMENT, J'AI DU
MAL À COMPRENDRE
LA MANIÈRE DE PENSER
DES CÉLÉBRITÉS
...

CHAPITRE 46

NANA

8

JE VAIS M'OCCUPER DES FLEURS

NANA KOMATSU

J'INSCRIRAI VOTRE NOM SUR UNE CARTE QUI ACCOMPAGNERA LE BOUQUET ET LE REMETTRAI À MLLE REIRA

NA

SHIN

ET PUIS IL Y A BEAUCOUP D'INVITÉS, ALORS SI CHAQUE PERSONNE LEUR REMETTAIT SES CADEAUX, LES ROIS DE LA FÊTE NE POURRAIENT RIEN FAIRE ET SERAIENT CREVÉS

COMME C'EST UN BUFFET ET QU'IL FAUT MANGER DEBOUT, CE NE SERAIT PAS PRATIQUE

NON, DÉSOLÉ

AH

ça m'a surprise

ON NE PEUT PAS LUI DONNER SES CADEAUX DIRECTEMENT...

Guide

on est à Hollywood ?

ELLES SONT EN ROBE DE SOIRÉE

ELLE CONVIENT VRAIMENT, MA TENUE ?

MÊME LES ANNIVERSAIRES, QUAND ÇA PREND CETTE AMPLEUR, ÇA DEVIENT AUTOMATIQUEMENT PLUS CÉRÉMONIEUX...

JE VOIS...

c'est par là je crois...

JE SUIS HABILLÉE EN FILLE DU PEUPLE...

je comprends pas trop

aping

LE GRAND SALON... PAR LÀ-BAS ?

oui ! on dirait un labyrinthe !

c'est tellement grand qu'on s'y perd !

11

...

PAH

PROMIS, JE NE TE SOUPÇONNE-RAI PLUS DE ME TROMPER AVEC REIRA ...

JE L'AI APPRIS SUR LE CHEMIN, EN ARRIVANT, ET J'AI VOULU RENTRER À LA MAISON ...

C'EST VRAI ...

QUOI ?

MAIS J'AI EU REIRA AU TÉLÉ-PHONE ET ...

REIRA ET NOBU N'ONT RIEN À VOIR AVEC LE FAIT QUE JE SOIS FÂCHÉ

ET JE NE PARLE-RAI PAS À NOBU, ALORS LAISSE-MOI VOIR SHIN ...

ELLE M'A DIT QUE SHIN SERAIT CONTENT DE ME VOIR ET QU'ELLE M'ATTENDAIT AUSSI !

TU PENSES QU'À CE GENRE D'HISTOIRES, TOI OU QUOI ?

SACHE QUE LES SOIRÉES COMME CELLE-CI OÙ SONT RASSEMBLÉES UN MAX DE PERSONNES EN RAPPORT AVEC MON TRAVAIL, ÇA FAIT PARTIE DE MON BOULOT

SI TU AS COM-PRIS, RENTRE IMMÉDIATEMENT

TU ES SI FIER DE ÇA ?

PAR-DON ...

ET TOI, TU NE PENSES QU'AU TRAVAIL, TAKUMI

POURQUOI TU PEUX PAS COM-PRENDRE ÇA ?

IL N'Y A QUE QUELQUES PER-SONNES DE MON STAFF QUI SOIENT AU COURANT POUR NOUS DEUX, ALORS ÇA ME GÊNE QUE TU VIENNES

TU PEUX FAIRE APPE-LER UN CHAUF-FEUR À L'ACCUEIL

NE ME FAITES PAS TOUS PLEURER !

IL FAUT QUE J'ASSUME MA DÉCISION

EST LE CHEMIN QUE J'AI CHOISI MOI-MÊME, APRÈS AVOIR BEAUCOUP DOUTÉ

L'AVENIR QUE JE VAIS CON-STRUIRE AVEC TAKUMI ...

EN TANT QUE MEMBRE DE BLAST ♡

OH MAIS J'AI MA PROPRE CHAMBRE, MOI

MAIS SI TU BOIS TROP, ON VA RIEN POUVOIR FAIRE

PAS DE PROBLÈ-ME, JE DORS ICI CE SOIR ♡

TU TE SERS SOUVENT, NON ?

tu tiens mal l'alcool ...

NOBU ...

MAIS JE VIENS DE RÉALISER CE QUE J'AI PERDU AU CHANGE

DANS CE CAS, J'AVAIS PAS BESOIN DE RÉSERVER UNE CHAMBRE !

AH BON !

EN CE MONDE, IL Y A PAS MAL DE LOIS, COMME ÇA, QUI NE SONT PAS RESPECTÉES

AH BON ?

ILS ABUSENT, HEIN ?

CETTE SOIRÉE EST UN BON MOYEN D'UTILISER LE CHANGEMENT D'ÂGE QUE T'A IMPOSÉ GAIA, PAS VRAI ?

FÉLICITATION POUR TES DIX-NEUF ANS ♡

JE VAIS TE METTRE EN GARDE ...

C'EST CE QUE TU CROIS

'Y A VRAIMENT AUCUN ADULTE DIGNE DE CE NOM

PERSONNE N'Y FAIT ATTENTION ?

LA LOI INTERDISANT AUX MINEURS DE FUMER PAR EXEMPLE

TU EN FAIS PARTIE, TAKUMI ♡

T'AS PRÊTÉ CE BRIQUET À REIRA, HEIN ?

TROP TARD POUR QUE J'ARRÊTE

26

QUOI ?

NON, JE ME SOUVIENS PAS LE LUI AVOIR PRÊTÉ

C'EST PAS GENTIL, ÇA

ELLE AVAIT POURTANT L'AIR D'EN PRENDRE LE PLUS GRAND SOIN

comme tu es cruel ...

...

ÇA DOIT ÊTRE UN HASARD

CE BRIQUET N'EST PAS UNIQUE

MAIS C'EST UNE ÉDITION LIMITÉE

LE NUMÉRO DE SÉRIE EST IDENTIQUE

I.W-21

...

SHIN
...

attention

BLAF

JOYEUX
ANNIVERSAIRE ♡

SI POSSIBLE, JE PRÉFÈRERAIS TROUVER UN TRAVAIL ET RETOURNER VIVRE DANS L'APPARTEMENT 707 ...

CETTE FOIS, JE POURRAI RENTRER CHEZ MES PARENTS EN PLEURANT

CE SERAIT LA SOLUTION LA PLUS SÛRE ET PRATIQUE, MAIS ...

SI AVEC ÇA, TAKUMI M'ABANDONNE ...

FINANCIÈREMENT, JE ME CONTENTERAIS DU MINIMUM VITAL

MAIS J'ÉLÈVERAIS MON ENFANT AVEC TOUT L'AMOUR POSSIBLE

JE SUIS PERSUADÉE QUE MON ENFANT SERA ENJOUÉ ET SAGE, MÊME S'IL GRANDIT SANS PÈRE

DANS CETTE CHAMBRE OÙ VIENDRAIENT MES AMIS LES PLUS PROCHES

DE VISAGE, IL RES-SEMBLERA PEUT-ÊTRE À TAKUMI
MAIS DE CARACTÈRE, J'AIMERAIS QU'IL SOIT COMME NOBU
WOUAH ! J'HALLUCINE !
C'EST QUOI CETTE CHAMBRE ?!
trop classe ♥

36

JE TE FERAI OUBLIER TOUTES LES CHOSES DÉSAGRÉABLES

ALORS TU N'AS QU'UN JOUR DE DIFFÉRENCE AVEC SHIN

LE 23 JANVIER ?

QUOI ?

ON FÊTERA ÇA TOUS ENSEMBLE LA NUIT DU 22 AU 23, OK ?

C'ÉTAIT ÉCRIT SUR SON CV

JE CROIS QUE LUI, C'EST LE 24

C'EST VRAI ?

HEIN ?

QUELLE MÉMOIRE ...

JE TE FERAI UN GÂTEAU ET PLEIN DE BONNES CHOSES À MANGER !

TU VERRAS, ÇA SERA SUPER ♡

ENREGISTRE AUSSI MON ANNIVERSAIRE, HEIN ?

IL ÉTAIT TELLEMENT BEAU

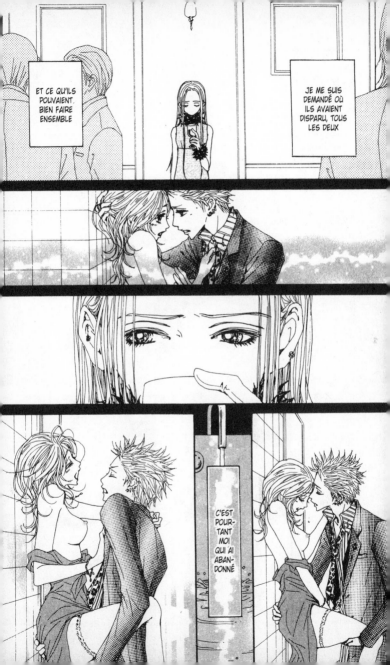

JE VOUS SOUHAITE UN JOYEUX ANNIVERSAIRE, REIRA !

ENCHANTÉE !

MAIS NON !

MERCI!!

ELLE EST TROP BELLE !

elle est humaine ?

LES GENS SONT VENUS ME VOIR LES UNS APRÈS LES AUTRES. IMPOSSIBLE DE PARTIR ...

EXCUSE-MOI D'AVOIR TARDÉ À VENIR TE SALUER

TOUT VA BIEN !

MAIS NON !

OH !

mais là, on nous verrait

JE LE TORTURE-RAI TOUT À L'HEURE POUR TE VENGER

le torturer ?

DÉ-SO-LÉE ...

TAKUMI S'EST FÂCHÉ, N'EST-CE PAS ?

NAOKI M'A TOUT RACONTÉ

QUAND IL REN-TRERA, APRÈS LE TRAVAIL, IL SERA SANS DOUTE DE MEIL-LEURE HUMEUR

...

NE T'INQUIÈTE PAS ET PRO-FITE BIEN DE LA SOIRÉE, D'AC-CORD ?

JOYEUX ANNIVERSAIRE, SHIN ♡

IL A BEAUCOUP D'ENNEMIS, ALORS IL A BESOIN QU'ON LE SOUTIENNE

MAIS CE N'EST PAS MÉCHANT, ALORS PAR-DONNE-LUI, HEIN

COMME TAKUMI FAIT TOUJOURS PASSER LE TRAVAIL AVANT TOUT, IL DOIT TE DIRE DES CHOSES PAS TRÈS AGRÉABLES

44

D'UNE BEAUTÉ ÉBLOUISSANTE ET D'UNE INFINIE GENTILLESSE

ET ELLE CONNAÎT TRÈS BIEN TAKUMI

À ENTENDRE LA PRINCESSE DE TRAPNEST, ON NE PEUT QUE PENSER QUE DIEU LUI A DONNÉ UNE VOIX POUR CHANTER. MAIS ELLE EST AUSSI ...

QU'IL NE PEUT PRENDRE SOIN DE RIEN D'AUTRE DU FOND DU CŒUR

C'EST PEUT-ÊTRE PARCE QU'IL EST TOUT OCCUPÉ À PROTÉGER CE JOYAU EN LE GARDANT À SES CÔTÉS

C'EST LE SENTIMENT QUE J'AI EU

AUSSI DENSE SOIT LA FOULE QUI M'ENTOURE

ET QUELLE QUE SOIT TON APPARENCE

JE SUIS SÛRE QUE JE SERAIS CAPABLE DE TE RECONNAÎTRE

brouhaha

brouhaha

NANA !

SI TAKUMI ME
LAISSE TOMBER

J'AIMERAIS RETOURNER
DANS L'APPARTEMENT 707

QUAND J'AI AVOUÉ ÇA À NANA

ELLE M'A REGARDÉ AVEC
GENTILLESSE ET M'A SOURI

NANA

CHAPITRE 47

SHH...

news7

Ren & Nana
se marient
!!

TRAPNEST BLACK STONES

CLIC

55

INFORMATION SUIVANTE
...

NANA ♡ 15

L'ÉTRANGETÉ DE CETTE AFFAIRE NE FAIT DONC QUE S'ACCROÎTRE

UN GRAND NOMBRE DE PHOTOGRAPHIES ET DE VIDÉOS PORTANT À CROIRE QUE LE SUSPECT SURVEILLAIT SA VICTIME DEPUIS PLUSIEURS ANNÉES ONT ÉTÉ DÉCOUVERTES

CONCERNANT LE MEURTRE D'UNE EMPLOYÉE DE BUREAU DANS LA VILLE F...

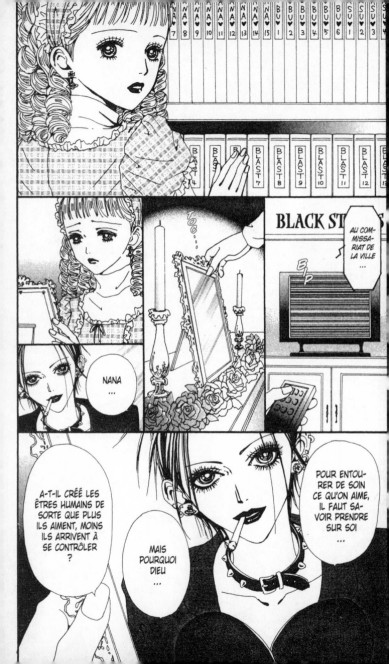

NANA
...

BLACK ST...

AU COMMISSA-RIAT DE LA VILLE
...

A-T-IL CRÉÉ LES ÊTRES HUMAINS DE SORTE QUE PLUS ILS AIMENT, MOINS ILS ARRIVENT À SE CONTRÔLER ?

MAIS POURQUOI DIEU
...

POUR ENTOU-RER DE SOIN CE QU'ON AIME, IL FAUT SA-VOIR PRENDRE SUR SOI
...

INFORMATION SUIVANTE ...

LES ÊTRES HUMAINS SONT PLEINS DE CONTRA-DICTIONS

S'IL ÉTAIT ACCRO À CE POINT, POUR-QUOI L'AVOIR TUÉE ?

B.I.P

QUOI ?

COMMENT ÇA ?

MOI AUSSI, J'AI VÉCU ÇA, ALORS JE ME SENS CONCERNÉE

FLIPPANT CE GENRE DE MECS, HEIN ?

...

REGARDE-MOI, AU LIEU DE REGARDER CETTE PRÉSEN-TATRICE QUI SE LA PÈTE !

AU MOINS, LÀ-BAS, M. YAMAGISHI LEUR FAIT PEUR, ALORS ILS RESTENT À DISTANCE

C'EST POUR ÇA QUE JE VIS À L'INTERNAT, MAINTENANT

OÙ QUE JE DÉMÉNAGE, ILS ME RETROUVENT TRÈS VITE

J'AI PAS MAL DE FANS QUI ME SURVEILLENT ATTENTIVEMENT

ON N'A QU'À DÉGOTER UN APPART COMME ICI ET Y VIVRE ENSEMBLE

MAIS BON, LÀ, ON Y TROUVE TOUS LES DEUX NOTRE COMPTE

AVEC LE SUCCÈS QUE VOUS AVEZ, TU VAS FORCÉMENT DEVENIR LA CIBLE DE FILLES BIZARRES

TOI AUSSI, TU DEVRAIS FAIRE ATTENTION

C'EST DONC POUR ÇA QUE TU VIS À L'INTERNAT...

COMME MOI ♡

MOI, TANT QUE TU ES PRÈS DE MOI, JE N'AI PEUR DE RIEN !

...

TU PEUX PAS ME DIRE "JE TE PROTÈGERAI" ? MÊME DU BOUT DES LÈVRES ?

COMMENT ÇA ?

JE POURRAIS BIEN ME FAIRE TUER PAR UN DE TES FANS EN COLÈRE

MAIS MOI, J'AI PEUR...

QU'EST QU'Y A ?

62

TIENS, QUELQU'UN JOUE DE LA GUITARE SÈCHE ♡

mh

UN PEU PLUS HAUT ♡

...

AH ...

ALORS POURQUOI TU POSSÈDES DES DOIGTS AUSSI EXPÉRIMENTÉS ?

dont les réactions soient si compréhensibles ...

JE TE DIS QUE TU ES LA PREMIÈRE ...

CONCENTRE-TOI UN PEU ! C'ÉTAIT BON !

TOI ALORS !

TROP BIEN !

MAIS ALORS C'EST REN QUI JOUE ?

REIR ?

JE SUIS LA COMBIENTIÈME ?

AVOUE MAINTENANT

NOBU

tu jouais pas la comédie ?

HEIN VRAIMENT ?

c'est quoi ça ? t'es un artisan ?

...

C'EST PARCE QUE JE SUIS FIANCÉ À MA GUITARE DEPUIS L'ÂGE DE DOUZE ANS

ÉTAIT LE LIVE ACOUSTIQUE DONNÉ PAR REIRA, REPRENANT LES STANDARDS DE LA MUSIQUE OCCIDENTALE

L'ÉVÉNEMENT PRINCIPAL DE CETTE SOIRÉE

JUSQUE LÀ, JE NE SAVAIS PAS QUE TAKUMI SAVAIT JOUER D'AUTRES INSTRUMENTS QUE DE LA BASSE

LA VOIX DE REIRA, POSÉE SUR CETTE UNIQUE GUITARE, ÉTAIT LISSE ET BRILLANTE AU POINT QU'ON SE LAISSAIT PORTER

"IL N'Y A QUE MOI QUI PUISSE CRÉER UN SON CAPABLE DE PORTER LA BEAUTÉ DU CHANT DE REIRA..."

"AU TOP DU TOP"

OÙ S'ARRÊTE LE TRAVAIL ET OÙ COMMENCE L'AMOUR ?

POUR TAKUMI

DIS-MOI PLU-TÔT...

pourquoi il sait faire autant de choses ? il est vraiment trop agaçant, ce mec

JE ME SUIS LAISSÉ AVOIR

MER-DE...

ÇA VA, YURI ?

...

C'ÉTAIT TAKUMI, À LA GUITARE ?

QUOI ?

ELLE ASSURE AU LIT ?

JE TE PARLE PAS DE ÇA

ELLE VA PAS TARDER

ELLE A L'AIR D'ALLER MIEUX

OUI !

LA SITUATION EST TENDUE, LÀ : HACHI RISQUE DE SE SÉPARER DE TAKUMI

N'EMPÊCHE, C'EST PAS UNE RAISON POUR TOMBER AMOU-REUX D'ELLE

arrête de ne retenir que les expressions de ce genre

TU SORS D'OÙ SALE PERVERS ?!

HACHI M'A AF-FIRMÉ QU'ELLE N'ÉPOUSERAIT PAS UN HOMME QUI LUI INTER-DIRAIT DE ME FÊTER MON ANNIVERSAIRE

MAIS TAKUMI S'EST FÂCHÉ ET LUI A DIT DE RENTRER

IL SEMBLERAIT QU'ELLE SOIT VENUE ICI AVEC NAOKI, INVITÉE PAR REIRA

COM-MENT ÇA ?

C'ÉTAIT PAS LUI QUI L'AVAIT FAIT VENIR ?

68

AIDE-LA, NOBU

MAIS COMME MON ANNIVERSAIRE EST À L'ORIGINE DE TOUT ÇA, JE ME SENS RESPONSABLE

NON, T'AS RIEN FAIT DE MAL

qu'est-ce que tu racontes

TU PEUX PAS LAISSER HACHI SEULE, QUAND ELLE EST TRISTE, HEIN ?

C'EST MA FAUTE ?

IL FAUT QU'ILS DISCUTENT ENTRE EUX JUSQU'À CE QU'ILS TOMBENT D'ACCORD

LE PROBLÈME NE VIENT PAS DE TOI, MAIS PLUTÔT D'UNE DIFFÉRENCE DE VALEURS, TU CROIS PAS ?

TU SAIS, JE DOUTE QUE CE SOIT UN PROBLÈME AUQUEL SON ENTOURAGE PUISSE REMÉDIER POUR ELLE

NOBU !

MAIS SI C'EST REIRA QUI L'A INVITÉE, LE STAFF A AUSSI DONNÉ SON FEU VERT, NON ?

C'EST PAS FAUX

TAKUMI N'A AUCUNE RAISON DE SE FÂCHER ...

...

C'EST PAS UNE QUESTION D'AMOUR

TU VEUX JUSTE ÉVITER LES SITUATIONS TROP CONTRAIGNANTES POUR TOI, NON ?

UNE FOIS QUE LA SOIRÉE SERA TERMINÉE ET QUE TAKUMI ET ELLE SE RETROUVERONT DANS LEUR MONDE À EUX, TOUT RENTRERA DANS L'ORDRE

SI HACHI ÉVITE DE FAIRE N'IMPORTE QUOI, TOUT IRA BIEN

IL EST PAS QUESTION QUE CE SOIT MOI QUI LE FASSE

TOI, SURVEILLE-LA. QU'ELLE NE FASSE PAS DE BÊTISES PENDANT LA RÉCEPTION

...

YASU ...

NOBU A FINI PAR DEVENIR ADULTE

COMPRIS

tiens ? vous êtes là, M. Shiba ♩ qu'est-ce que vous avez pensé de notre CD ?

hé ! Nobu !

HEIN ?

IL FAUT S'ÉLOI-GNER DE SON CHEMIN DE TEMPS EN TEMPS POUR POUVOIR AVOIR UN REGARD OBJECTIF SUR SOI-MÊME ET SUR CE QUI NOUS ENTOURE

APPAREMMENT, LA BÊTISE QU'IL A FAITE AVEC YURI LUI A PERMIS D'EN FINIR AVEC SON PETIT JEU DE DÉFENSEUR DE LA JUSTICE

ELLE A PEUT-ÊTRE RAISON, MAIS ÇA SONNE COMME UNE INCITATION À LA DÉBAUCHE

ENCORE ELLE ...

D'APRÈS RYŌKO

MAIS C'EST COMME ÇA QU'ON DEVIENT ADULTE

C'EST UN PEU TRISTE

TAKUMI VA FINIR PAR S'EN RENDRE COMPTE, NON ?

ON VOIT BIEN QU'ELLE N'ARRÊTE PAS DE JETER DES COUPS D'ŒIL VERS NOBU

QUAND ON OBSERVE HACHI COMME ÇA, DE LOIN

CE MEC VIT EN OBSERVANT TOUT LE PLUS OBJECTIVEMENT POSSIBLE

C'EST PEUT-ÊTRE DÉJÀ FAIT

OUI, ON DIRAIT BIEN

MAIS CETTE FOIS, ILS SE TIENNENT À DISTANCE L'UN DE L'AUTRE ET CELA ME SEMBLE ENCORE PLUS PARLANT

NOBU ET LA FILLE EN ROBE ROUGE DU NOM DE YURI SONT ENFIN REVENUS DANS LA SALLE DE RÉCEPTION

MAIS SI C'EST SA COPINE, JE PRÉFÈRERAIS QU'ELLE NE SOIT PAS AUSSI AVENANTE AVEC D'AUTRES GARÇONS

DIFFICILE DE CROIRE QUE CE SOIT LE GENRE DE FILLE QU'APPRÉCIE NOBU, LUI QUI AIME PLUTÔT LES FILLES SIMPLES

SURTOUT AVEC NAOKI

hi hi

merci ♡

...

MAIS UN PEU EXUBÉRANTE

ELLE FAIT QUOI ? DE LA TÉLÉ ?

ELLE EST JOLIE

SON NUMÉRO DE PORTABLE ?

QU'EST-CE QU'ELLE A ÉCRIT ?

brouhaha brouhaha

QUE PLUS PERSONNE NE FASSE DE MAL À NOBU

S'IL VOUS PLAÎT

brouhaha brouhaha

PARDON, HACHIKÔ

EN PLUS, C'EST BIENTÔT LA FIN DE LA SOIRÉE

T'IN-QUIÈ-TE !

je suis restée longtemps

JE FERAIS PEUT-ÊTRE MIEUX DE RENTRER

C'EST MOI QUI M'EXCU-SE DE TE CAU-SER DU SOUCI

C'EST RIEN

TU ES LÀ ET MOI, JE N'AI PAS TROP PU RESTER AVEC TOI

HEIN ?

COMME ÇA, ON POURRA DISCU-TER À BÂTONS ROMPUS

T'AS QU'À RESTER DORMIR DANS MA CHAMBRE CETTE NUIT ♡

ça passe vite ♪

C'EST DÉJÀ L'HEURE ?

QUOI ?

76

youpi youpi

J'AI DU MAL À COMPRENDRE COMMENT TU PEUX TE RÉJOUIR AUTANT À UN MOMENT OÙ TU RISQUES DE TE FAIRE JETER PAR TON HOMME, MAIS BON, JE SUIS CONTENTE POUR TOI

UN LIT À BALDAQUIN ♡

TROP FORT !

SI, À YOKOHAMA, À PARTIR DE L'APRÈS-MIDI

TU NE TRAVAILLES PAS DEMAIN ?

MOI, J'AI AMENÉ MES AFFAIRES

'Y A MÊME UNE CHEMISE DE NUIT. T'AS QU'À L'UTILISER

OUI

TOC TOC

JE CROIS RÊVER

JE VAIS MÊME POUVOIR DORMIR DANS LA MÊME CHAMBRE QUE NANA

DANS CE CAS, ON VA POUVOIR PASSER UNE PARTIE DE LA NUIT À DISCUTER !

FINALEMENT, J'AI BIEN FAIT DE VENIR

ELLE EST LÀ, NANA ?

À TOI ? RIEN

QU'EST-CE QUE TU ME VEUX ?

QU'EST-CE QUE T'AS À T'EXCUSER ?

DÉSOLÉE DE N'EN FAIRE TOUJOURS QU'À MA TÊTE, TAKUMI !

SI MON EXISTENCE TE GÊNE TANT, JE QUITTERAI MÊME L'APPARTEMENT DE SHIROGANE !

JE NE TE DEMANDERAI PAS DE PENSION !

JE ME DÉBROUILLERAI TOUTE SEULE !

JE VAIS DORMIR ICI AVEC NANA ...

82

OUBLIE ...

PARDON ...

SHIN ...

J'AIMERAIS QUE TU L'OUBLIES ...

TOUT CE QUE J'AI PU FAIRE OU DIRE POUR DE L'ARGENT ...

QU'ON PUISSE SE RENCONTRER UNE NOUVELLE FOIS

ET J'AIME- RAIS ...

ALORS JE PRENDRAIS SOIN DE TOI MIEUX QUE QUICONQUE

COMME JE SAVAIS QUE C'ÉTAIT LA SEULE FAÇON POUR LUI DE CALMER SA COLÈRE, JE ME SUIS LAISSÉE FAIRE

DÈS QUE NOUS SOMMES ENTRÉS DANS SA CHAMBRE, TAKUMI A PÉTÉ UN PLOMB ET M'A PRISE DE FORCE

MAIS PARCE QUE JE VOULAIS M'ÉVADER DE LA PEUR ET DU DÉGOÛT QUE JE RESSENTAIS À CE MOMENT PRÉCIS

PAS PARCE QUE JE VOULAIS QU'IL ME PARDONNE, POUR PRÉSERVER NOTRE AVENIR

LE DÉSESPOIR QUE J'AVAIS RESSENTI CE JOUR-LÀ ET QUE J'ÉTAIS EN TRAIN D'OUBLIER ME REVIENT ...

NANA...

LA SEULE CHOSE QUE TU AIES À FAIRE, C'EST ENCAISSER MES HUMEURS, SANS TE SOUCIER DE RIEN D'AUTRE

JE VOULAIS RETOURNER AUPRÈS DE NANA AU PLUS VITE

JE M'ÉTAIS DIT QUE JE NE POURRAIS JAMAIS VIVRE AVEC UN TEL HOMME

ALORS J'AI FAIT SEMBLANT DE PRENDRE DU PLAISIR DANS CET ACTE ÉGOÏSTE ET DOULOUREUX

CLIC

DIS, NANA
...

S'IL ÉTAIT POSSIBLE D'EFFACER

UNE PARTIE DE CETTE VIE PLEINE D'ERREURS

À PARTIR D'OÙ LA RECOMMENCERAIS-TU ?

MOI, JE RECOMMENCERAIS À PARTIR DE CETTE NUIT ENNEIGÉE OÙ JE T'AI RENCONTRÉE

JE SERAIS INCAPABLE DE T'EFFACER

QUAND J'AI VU
CE VERRE BRISÉ

J'AI EU L'IMPRESSION DE
ME RETROUVER TOTALE-
MENT SEULE AU MONDE

NANA

CHAPITRE 48

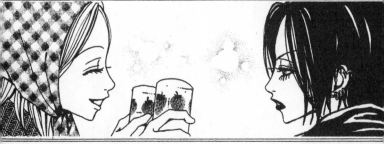

TOUT
IRA
BIEN

M'ONT
SEMBLÉ
AVOIR
LA FORME
D'UN
CŒUR

LES
DEUX
VERRES
L'UN
SUR
L'AUTRE
...

À CE MOMENT
PRÉCIS
...

LES PAROLES DE
TAKUMI M'ONT SAU-
VÉE DU DÉSESPOIR,
TU SAIS

ET VOILÀ
QU'IL ME FAIT
REPLONGER
?

C'EST VRAI-
MENT UN HOMME
SANS MERCI

S'IL N'AVAIT PAS ÉTÉ LÀ,
JE CROIS QUE JE N'AURAIS
MÊME PAS ÉTÉ CAPABLE
DE T'ÉCRIRE UNE LETTRE

108

TIENS...MAIS C'EST QU'IL EST JALOUX...

IL AVAIT POURTANT DIT QUE NOBU N'AVAIT RIEN À VOIR LÀ-DEDANS

...

CETTE NUIT, JE VAIS DOR-MIR DANS LA CHAMBRE DE NANA

MAIS BON, JE NE ME LAISSERAI PLUS AVOIR AUSSI FACILEMENT

OUI, DÉSOLÉ D'ÊTRE SI PRES-SANT...

PARCE QU'IL TE FAUT UNE RÉPONSE IMMÉDIATE ?

C'EST PAS UNE RÉPONSE

MERCI DE ME LAISSER AU MOINS LE TEMPS DE RÉFLÉCHIR

EH BIEN SACHE QUE MOI, JE VEUX FAIRE LES CHOSES À MON PROPRE RYTHME

...

...

J'AIMERAIS T'EMPRUNTER DE L'EAU DÉMAQUILLANTE, DU DÉMAQUILLANT SPÉCIAL WATERPROOF, DU SAVON POUR LE VISAGE, DE LA LOTION NETTOYANTE, DE LA LOTION PROTECTRICE, DE LA LOTION SUBLIMANTE, DU GEL CONTOUR DES YEUX, DU LAIT HYDRATANT ET DE LA CRÈME DE NUIT. TU VEUX BIEN M'EN PRÊTER, SI TU EN AS ? ♥

MAIS JE DOIS AUSSI LES UTILISER, ALORS NE LES EMPORTE PAS

utilise-les ici

MES PRODUITS DE BEAUTÉ SONT DANS LA SALLE DE BAINS. T'AS QU'À TE SERVIR

SI TU MÉLANGES AUTANT DE PRODUITS, ÇA VA EXPLOSER !

OH... RAS LE BOL. VOUS ARRIVEZ LES UNS APRÈS LES AUTRES...

c'est shin ?

'Y A QUELQU'UN ?

VAS-Y

NE TE MÉPRENDS PAS

VOUS AVEZ RÉUSSI À COMMUNIQUER...

BAH...

DANS CE CAS, JE T'EMPRUNTE TA SALLE DE BAIN

MERCI ♥

MOI, JE SUIS PAS COMME TOI : JE TIENS BIEN L'ALCOOL

TOC TOC

d'autant plus qu'on va rester pas mal de temps

ALLEZ, JE ME SERS AUSSI UN VERRE ♥

TU NE RETOURNES PAS AUPRÈS DE LUI ?

TAKUMI EST FÂCHÉ, NON ?

JE SUIS LA SEULE À TROUVER CETTE RELATION BIZARRE ?

NOBU AVEC UNE ACTRICE DE FILMS X ...

prenez tout votre temps

JE VAIS ME DÉMAQUILLER

ÇA NE ME POSE AUCUN PROBLÈME !

MAIS NON !

...

ah bon ...

C L A P

DÉSOLÉ POUR LE MAUVAIS ACCUEIL ...

NORMAL, PUISQUE TU REVIENS DE SA CHAMBRE !

pas de problème !

EN PLUS, IL A L'AIR DE MEILLEURE HUMEUR, MAINTENANT

NON

SI TU FAIS DES COCHONNERIES AVANT TON MARIAGE, TA GRAND-MÈRE VA TE GRONDER !

TOUT MENTEUR FINIT VOLEUR, TU SAIS ?

NON, JE NE PARLE PAS DE TOI !

QUOI ?!

fhh

C'ÉTAIT UN MENSONGE ...

NANA ...

C'EST CE QUE DISAIT MA GRAND-MÈRE

EN FAIT, JE BUVAIS UN COUP AVEC LES AUTRES

AVEC REIRA, TAKUMI ET TOUT ET TOUT

LES CLIENTS DE LA BOUTIQUE DE TA GRAND-MÈRE ?

...

c'est du vol, ça

MOI, JE SAIS SUPER BIEN TAXER LEURS CLOPES AUX CLIENTS RAIDES BOURRÉS ♡

fhou

qu'est-ce qu'elle a, ta grand-mère ?

ÇA VA, NANA ? TU M'AS L'AIR BIEN FRACASSÉE

félicitations

AVEC ÇA, LA SUCCESSION DE L'AUBERGE TERASHIMA EST ASSURÉE !

OH ! QUELLE BONNE NOUVELLE, MADAME !

OK ...

ASSIEDS-TOI

NANA

clap clap clap clap

JE NE PEUX PAS BOIRE ...

NANA

ELLE CROIT ÊTRE RENTRÉE CHEZ ELLE ?

BUVEZ TOUT VOTRE SOÛL, CHÈRE CLIENTE !

BON SOIR

sa copine va t'entendre

TU PARLES TROP FORT

MAIS MON BÉBÉ VA ÊTRE SOÛL ...

CETTE NUIT, IL VA FAIRE FROID ÇA VA TE RÉCHAUFFER !

"LA DIVA" !

NO PROBLEMO !

NANA CHANTE CE GENRE DE CHANSON ?

chante aussi fort que tu peux !

DU MIYUKI NAKAJIMA, COMME D'HAB' !

CHANTE-NOUS UNE CHANSON !

J'AI UNE IDÉE, NANA !

AVANT DE CHOISIR TAKUMI

J'AURAIS PARLÉ AVEC LUI CE JOUR-LÀ-

SI J'AVAIS RÉELLEMENT PENSÉ AU BIEN DE NOBU

DITES ! VOUS M'ÉCOUTEZ, CHÈRE CLIENTE ?

ÉCOU-TEZ-MOI !

ELLE A EXPLOSÉ OU QUOI ?

AU FAIT, ET L'AU-TRE, LÀ ?

dans plusieurs sens du terme ...

"explosé" ?

the best of Miyuki Nakajima !
Nana's selection !

AH OUI ?

JE NE SAVAIS PAS QUE TU MAÎTRI-SAIS AUSSI CE GENRE MUSICAL

t'es douée !

OUI, ON T'ÉCOU-TE !

MOI, C'EST MA CHANSON PRÉFÉRÉE, DANS TON RÉPERTOIRE ♡

"CHAN-SON DE NUIT"

DANS CE CAS, JE VAIS VOUS EN CHANTER UNE DEUXIÈME

M'AVAIT AUSSI ÉNORMÉ-MENT PEINÉE

LE FAIT QUE NANA, QUI ÉTAIT CEN-SÉE ÊTRE AVEC NOBU, NE SOIT PAS VENUE ...

NI POUR MON ENFANT, NI POUR NOBU

CE N'ÉTAIT ...

SI À CE MOMENT PRÉCIS, J'AI CHOISI TAKUMI ...

C'EST TOUT

C'ÉTAIT PARCE QU'IL AVAIT ÉTÉ LE SEUL À ÊTRE GENTIL AVEC MOI

MA HANTISE,
C'EST DE ME
RETROUVER
SEULE

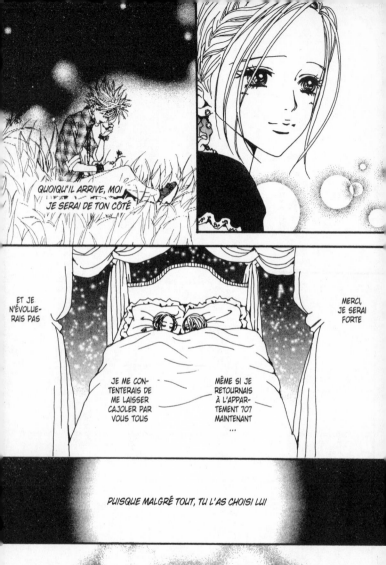

QUOIQU'IL ARRIVE, MOI JE SERAI DE TON CÔTÉ

ET JE N'ÉVOLUE-RAIS PAS

MERCI, JE SERAI FORTE

JE ME CON-TENTERAIS DE ME LAISSER CAJOLER PAR VOUS TOUS

MÊME SI JE RETOURNAIS À L'APPAR-TEMENT 707 MAINTENANT ...

PUISQUE MALGRÉ TOUT, TU L'AS CHOISI LUI

JE VAIS CROIRE UNE NOUVELLE FOIS EN TAKUMI ET FAIRE DE MON MIEUX

JE RECOM-MENCERAI AUTANT DE FOIS QU'IL LE FAUDRA

ARG !!

J'AI MAL AU CRÂNE !

MAIS... QUAND EST-CE QUE T'ES REVE-NUE, TOI ?

T'AS PAS DORMI DANS LA CHAMBRE DE TAKUMI ?

ALLEZ, DÉPÊCHE-TOI DE TE PRÉPA-RER, SINON TU VAS ÊTRE EN RETARD AU TRAVAIL

C'EST NOR-MAL VU TOUT CE QUE TU AS BU ET COMMENT TU AS FAIT LA FOLLE

PAR CONTRE, J'AI RÊVÉ DE MA GRAND-MÈRE QUI EST MORTE

PAS TROP ...

HUM ...

elle est fâchée parce que je vais jamais me recueillir sur sa tombe ?

JE ME DEMANDE POURQUOI ...

TU NE TE SOUVIENS PAS ?!

137

QUOIQUE... ELLE ÉTAIT TOUJOURS EN COLÈRE DE TOUTE FAÇON...

BAH NON, ELLE ÉTAIT FÂCHÉE

ELLE T'A SANS DOUTE RENDU VISITE POUR TE FÉLICITER POUR TON MARIAGE

TU CONNAIS MA GRAND-MÈRE OU QUOI ?

ÇA DOIT ÊTRE PARCE QUE TU AS FAIT DES COCHONNERIES AVEC REN AVANT LE MARIAGE

TU TROUVERAS TON "DOMICILE LÉGAL" SUR TA FICHE D'ÉTAT CIVIL. SI TU VEUX, J'IRAI LA RÉCUPÉRER À LA MAIRIE POUR TOI

PEU IMPORTE, MAIS FAIS VITE TON MARIAGE CIVIL AU MOINS !

HÊ HÊ HÊ !

MOI AUSSI, J'AI REMPLI LE DOSSIER DE MARIAGE DERNIÈREMENT, ALORS S'IL Y A DES CHOSES QUE TU NE COMPRENDS PAS, TU PEUX ME POSER DES QUESTIONS QUAND TU VEUX

SI TU LE DEMANDES, ON PEUT TE LE NOTER

LE DOMICILE LÉGAL EST INSCRIT SUR LA FICHE D'ÉTAT CIVIL ?

HEIN ?

ALORS T'AS DÉJÀ FAIT TON MARIAGE CIVIL ?

QUOI ?

AH BON ?

SI NOTRE GROUPE TIENT LE COUP JUSQUE LÀ, D'ACCORD

TU SAIS, NANA

VRR RRR...

MAIS DITES DONC ! POURQUOI YURI EST LÀ ?!

LES MÉDIAS N'ONT PAS LE DROIT DE JUGER LES GENS

moi ?

À QUI LE PROCHAIN JUGEMENT ?

POURTANT, C'EST SUPER SÉVÈRE, LE MILIEU DES PRÉSENTA-TEURS

VOILÀ, ILS SE SONT FAIT GRILLER

...

n'empêche, je comprends qu'avec des seins aussi gros sous le nez, il ait eu envie de les toucher

HÉ !

IL PARAÎT QUE LES DEUX PRÉSENTA-TEURS DE MUSIC STUDIO COUCHENT ENSEMBLE ! EN PLUS, ILS SONT MARIÉS AVEC D'AUTRES PERSONNES !

descends !

À L'ÉPOQUE, JE VOULAIS À TOUT PRIX

AVOIR UNE RELATION PROFONDE ET FORTE AVEC QUELQU'UN

UNE RELATION INALTÉRABLE

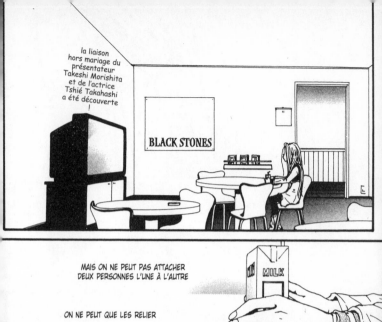

la liaison hors mariage du présentateur Takeshi Morishita et de l'actrice Tshié Takahashi a été découverte !

BLACK STONES

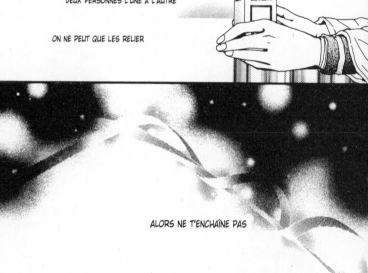

MAIS ON NE PEUT PAS ATTACHER
DEUX PERSONNES L'UNE À L'AUTRE

ON NE PEUT QUE LES RELIER

ALORS NE T'ENCHAÎNE PAS

NANA A REFUSÉ MA PROPOSITION TOUT NET

DISANT QU'ELLE IRAIT RÉCUPÉRER SA FICHE D'ÉTAT CIVIL ELLE-MÊME

MOI, J'AIMERAIS POUVOIR LUI RENDRE SERVICE

MAIS ELLE N'A PAS L'AIR D'AVOIR BESOIN DE MOI

CHAPITRE 49

Pochi
↓

hein, Pochi ?

POURQUOI JE DEVRAIS VOUS AIDER ?

DONC, POUR COMPENSER, IL FAUT QUE SON ENTOURAGE LUI DONNE PLEIN D'AFFECTION

JE NE CONNAIS PAS LES DÉTAILS DE SON HISTOIRE, MAIS IL SEMBLERAIT QUE SHIN AIT ÉTÉ SÉPARÉ DE SES PARENTS

COMMENT ÇA "COMME SA MAMAN" ?

D'AILLEURS, SI TU NE COMPRENDS PAS CE QU'EST LA FIBRE PATERNELLE, JE NE POURRAI PAS ACCOUCHER SEREINEMENT

PARCE QUE TU VAS BIENTÔT ÊTRE PAPA, VOYONS

AIDE-NOUS, TOI AUSSI

SINON, JE PARS VRAIMENT D'ICI

DIS-TOI QUE SHIN EST MON PREMIER ENFANT ET DONNE-LUI TOUT AUTANT D'AFFECTION

MAIS SI, C'EST LA MÊME CHOSE

je m'occu-pe bien de Pochi, par exemple

SACHIKO, J'EN PRENDRAI BIEN SOIN

ÇA N'A AUCUN RAPPORT !

MAIS J'AI BIEN COMPRIS À QUEL POINT TU ÉTAIS ATTA-CHÉE À LUI ET LE FAIT QUE TU VEUILLES EN PRENDRE SOIN

ENFIN... JE M'EN FOUS UN PEU, DE SHIN ...

TAKUMI !

BON, D'ACCORD

150

BIP

BIP

F LAYLA
D 03/11 01:06
S RE : RE : RE : RE : CETTE NUIT

JE SUIS RENTRÉE !

SI TU DEMANDES À L'ACCUEIL, ILS T'APPORTERONT UNE LAMPE DE TABLE

AH

'Y AURAIT PAS UN TRUC POUR S'ÉCLAIRER ?

QU'EST-CE QU'IL FAIT SOMBRE DANS LES CHAMBRES D'HÔTEL

tu veux que je l'appelle ?

on voit que t'as de l'expérience, en tant que gigolo

TU EN SAIS DES CHOSES ...

AH BON ...

JE SUIS PAS ASSEZ CONCENTRÉE POUR ÉCRIRE DES PAROLES

MINCE ...

C'EST REN ?

OH ♡

DING DONG

...

EN PLUS, NOTRE AGENCE NE TIENT LE COUP QUE GRÂCE À L'ARGENT QUE LUI RAPPORTE NOTRE GROUPE

SI ON ARRÊTE SOUDAIN TOUT MAINTENANT, ÇA VA FAIRE PAS MAL DE DÉGÂTS

LE BUSINESS RELATIF À NOS DEUX GROUPES REPOSE SUR LE SUCCÈS QU'ON LEUR PRÉVOIT

UN SECRET AUSSI IMPORTANT ? À MOI ?

quoi, Pochi ?

IL PEUT ME CONFIER ...

ah... j'en ai marre ...

MAIS LES UNS COMME LES AUTRES, ILS NE PENSENT QU'À LEUR GUEULE

JE ME FOUS QUE NARITA CRÈVE. MAIS TAKE-CHAN, PAR EXEMPLE, IL EST PÈRE DE TROIS ENFANTS ...

...

ET EN PLUS, À MOI TOUT SEULE

C'EST POUR LES MOMENTS COMME ÇA QUE JE SUIS AUPRÈS DE TOI !

JE NE PARLERAI DE ÇA À PERSON- NE ! TU PEUX COMPTER SUR MOI POUR M'OCCUPER DE ÇA. ET TOI, CONCENTRE-TOI SUR TON TRAVAIL !

pourtant t'es là la plus égo- centrique de tous, non ?

QUOI ?

ÇA VA ALLER !

158

164

TU LU LU ~ ♪~

TU AS LU MON MESSAGE ?

ALLÔ, SHIN ?

OUAIS ...

J'AI ENCORE CUISINÉ POUR RIEN ...

EN TOURNÉE ?

AH BON ?

ON DOIT PARTICIPER À DES ÉMISSIONS DE RADIOS LOCALES, SE FAIRE INTERVIEWER, TOUT ÇA, QUOI

DÉSOLÉ, MAMAN

À PARTIR D'AUJOURD'HUI, JE PARS EN TOURNÉE POUR DEUX SEMAINES

EN LE METTANT DANS UN BON EMPLACEMENT PAR EXEMPLE

SI LE MANAGER DU MAGASIN NOUS APPRÉCIE, IL METTRA LA GOMME POUR VENDRE NOTRE CD

MAIS ON DOIT SURTOUT FAIRE LE TOUR DES MAGASINS DE CD POUR DIRE BONJOUR

ENFIN, JE SUIS DÉJÀ EN ROUTE, LÀ

TSHI

EXCUSEZ-MOI

LE VOILÀ

ÇA VA, NAMI ?

tu craches de l'écume ...

JE PEUX EN PRENDRE ?

DITES ! ELLE EST CUITE, LA VIANDE ?

mais plus ça va, plus ça fait "appartement de jeune fille" ... pourquoi ?

J'AIMERAIS QUELQUE CHOSE D'UN PEU PLUS CHIC ET ROMANTIQUE ...

ON SE SENT PAS À L'AISE

ELLE EST VRAIMENT DE MAUVAIS GOÛT, CETTE DÉCO !

ARRÊTE DE NE MANGER QUE DE LA VIANDE, VOYONS ! PRENDS AUSSI DES LÉGUMES !

QU'EST-CE QUI TE FAIT MARRER, TOI ?

hi hi hi

ON A VU LA CONFÉRENCE DE PRESSE DE NANA ET REN

À PROPOS DE TÉLÉ !

tu te prends pour qui ?

PARTICIPE AU LIEU DE REGARDER !

ou alors une pub

J'AI L'IMPRESSION DE REGARDER UNE SÉRIE TÉLÉ !

AH ...

C'EST VRAIMENT PAS ÉVIDENT DE BOSSER DANS LE SHOW BUSINESS, APPAREMMENT

PAS LA PEINE DE T'EXCUSER, TU SAIS

DE VOUS AVOIR ANNONCÉ BRUSQUEMENT QUE LE MARIAGE ÉTAIT REPOUSSÉ, ALORS QUE LES PRÉPARATIFS ÉTAIENT DÉJÀ BIEN AVANCÉS

DÉSOLÉ
...

'Y A PAS DE "AH" QUI TIENNE

tu crois qu'on est là pour quoi
?

et oui... c'est ben dur
...

pas tant que ça
...

EUH
...

O.K.
?

O.K.
...

COURAGE
!

ALLEZ ! C'EST PAS DE TA FAUTE
!

ARRÊTE, JE TE DIS
!

NOUS EN AVONS BIEN DISCUTÉ TOUS ENSEMBLE ET NOUS EN AVONS CONCLU QUE NOUS N'AVIONS PAS D'AUTRE CHOIX QUE DE REPORTER LE MARIAGE

NANA NOUS A EXPLIQUÉ LA SITUATION

MAIS LA CONFÉRENCE DE PRESSE, ELLE ÉTAIT TROP GÉNIALE
!

PAF

OUI MAIS
...

JE SUIS SINCÈREMENT DÉSOLÉ

177

LE PLUS IMPORTANT, C'EST TOUT DE MÊME VOTRE VIE QUOTIDIENNE ENSEMBLE, NON ?

VOUS POUVEZ FAIRE UN MARIAGE CIVIL QUAND VOUS VOULEZ

MOI, JE TROUVE ÇA ADMIRABLE, QUE TU AIES SACRIFIÉ TON MARIAGE POUR LAISSER LA PRIORITÉ À UN AUTRE MEMBRE DU GROUPE !

C'EST VRAI, ÇA

ET ÇA ME RASSURE DE ME DIRE QUE NANA RESPIRE LE BONHEUR TOUS LES JOURS DANS CE BEL APPARTEMENT

TU ES QUELQU'UN D'HONNÊTE ET DE GENTIL

EN FAIT, MAMAN ...

TAKUMI FAIT LE MEC GENTIL, MAIS EN RÉALITÉ, C'EST UN PETIT VIOLENT ET UN COUREUR DE JUPONS

ON NE PEUT PAS DIRE QUE JE SOIS HEUREUSE TOUS LES JOURS

bois encore un coup, ♪ Takumi

...

la viande est cuite, cher beau-frère ! ♥

hi hi

178

PEUT-ÊTRE QUE DEMAIN JE PLEURE-RAI, MAIS APRÈS-DEMAIN, JE SERAI SANS DOUTE EN TRAIN DE SOURIRE À NOUVEAU

MAIS HIER, J'ÉTAIS HEU-REUSE ET JE LE SUIS ENCORE AUJOURD'HUI

TANT QU'ON GARDE ESPOIR, QUOI QU'IL ARRIVE ...

C'EST ÇA, LA VIE AU QUOTIDIEN

ET ÇA ME CONVIENT

IL Y A TOU-JOURS UN LENDEMAIN

ET MAINTENANT, LA MÉTÉO NATIONALE !

D 05/11 12:30

F YASU

D EN DIRECT D'OSAKA

ICI, IL PLEUT DEPUIS CE MATIN. TOUT LE MONDE SE PLAINT, MAIS MOI, LES JOURS DE PLUIE M'APAISENT, ALORS J'AIME BIEN. JE SUIS PEUT-ÊTRE BIZARRE...

TU LU LU

BLACK STONES

COMPOSER MESSAGE :
ICI, IL FAIT BEAU.
MOI AUSSI, J'AIME LES JOURS DE PLUIE. ON A BEAUCOUP DE GOÛTS EN COMMUN. J'AI VU LE CLASSEMENT ORICON*. POUR UNE PRE-MIÈRE...

BIP BIP BIP

SUJET :
ÇA N'ÉTONNE PAS ♡

* ORICON CHARTS : CLASSEMENT DES VENTES SINGLES ET ALBUMS JAPONAIS

TANT QU'ON GARDE ESPOIR,
IL Y A TOUJOURS UN LENDEMAIN

C'EST TOI QUI ME L'AS APPRIS

MAIS LA PLUIE DE CE JOUR-LÀ

CONTINUE DE TREMPER MES JOUES ENCORE AUJOURD'HUI

IL PLEUVAIT SI FORT CE JOUR-LÀ...

PAGES BONUS

ICHIBAN-BOSHI, DE HYÔGO

APPLEMINI, DE MIYAZAKI

MAÎMAÏ, D'OSAKA

AKANEKO ♡ DE TOKYO

AZUSA SUGIHARA, DE TOKYO

EMISHI DE KYOTO

ET MARUYAMA ME RESSEMBLE TRAIT POUR TRAIT

ON A HALLUCINÉ TELLEMENT IL Y AVAIT DE CHOSES IDENTIQUES AU MANGA

trop émouvant

ON EST ALLÉS VOIR L'AVANT PREMIÈRE DU FILM "NANA" !

JUNKO !

TIENS, LES HABITUÉS. BONSOIR ...

flippant ...

ça montre à quel point l'équipe de prod nous aime !

J'AVAIS L'IMPRESSION DE ME REGARDER. ÇA M'A FAIT BIZARRE ...

189

TAKAYAMA ASSURE BIEN LUI AUSSI, DANS LE RÔLE DE KYŌSUKE

EN FAIT, IL Y A PAS MAL DE PETITS RÔLES QUI ONT MALGRÉ TOUT BEAUCOUP D'IMPACT, VOUS NE TROUVEZ PAS ?

ils ont vachement de présence ...

N'EMPÊCHE, TOI, TU AS EU DE LA CHANCE QUE HIRAOKA ACCEPTE TON RÔLE DE "MEC QUI SE FAIT DÉTESTER PAR TOUT LE MONDE"

IL FAUT LUI EN ÊTRE RECONNAISSANT

et pareil pour Saeko

HA HA

BIEN SÛR QUE JE LUI EN SUIS RECONNAISSANT !

LES ACTEURS ONT VRAIMENT TOUS FAIT UN SUPER BOULOT

EN PLUS, LES LIEUX ET LES VÊTEMENTS ÉTAIENT VRAIMENT TOP

L'APPARTEMENT 707, PAR EXEMPLE, C'ÉTAIT LE MÊME QUE CELUI QU'ON CONNAÎT !

trop fort

BREF, C'ÉTAIT TRÈS SYMPA, JUNKO ♡

JE PENSE QUE LES LECTEURS VONT APPRÉCIER CE FILM EUX AUSSI

♪

C'EST COOL, HEIN ?

C'EST DÉCIDÉ !

QUAND J'AURAI TERMINÉ LA FAC, JE TRAVAILLERAI DANS LE MILIEU DU CINÉMA !

et je finirai réalisateur !

NE PRENDS PAS LES GRANDES DÉCISIONS DE TA VIE DANS LES PAGES BONUS !

... les lecteurs vont tout mélanger

NON, C'EST PAS COOL

BAH POURQUOI ?

... ah, les ex-yankees

pourquoi tu boudes

TU AS ENCORE REÇU DES LETTRES DE PLAINTES DES LECTEURS ?

NON, C'EST PLUTÔT DES LETTRES D'ENCOURAGEMENT

tout ça ?

ça fait plaisir

MOI QUI PENSAIS LAISSER KENTARÔ S'OCCUPER DE CE SNACK ET PRENDRE DES VACANCES ...

C'EST NUL, C'EST PAS DU JEU !

allez, Kentarô !

j'ai hâte de voir le film

190

MAIS "PARADISE KISS" VIENT D'ÊTRE ADAPTÉ EN DESSIN ANIMÉ, ALORS SI TU TE RELÂCHES, ON VA SE FAIRE PIQUER NOS PAGES BONUS

alors qu'ils sont chez un autre éditeur

O.K., LES CONGÉS, C'EST BIEN ...

où ça ?

DISPARU ?

SHIN AYANT DISPARU, SI PERSONNE NE S'OCCUPE DE CE BAR, MOI, JE PEUX PAS PRENDRE DE CONGÉS

DANS CE CAS, TRAVAILLE ICI, TOI

à partir de maintenant

TU PRENDS LE RÉALISATEUR POUR QUOI ?

M. Kentarô est mon maître !

ENCORE CETTE HISTOIRE ?

QUOI ?!

adapté en dessin animé ?!

6° Le Manoir d'Isabella.

DIS, GEORGE ...

IL PASSERA LA NUIT, SUR FUJI TV

SAVAIS-TU QUE LE MANGA DANS LEQUEL NOUS AVONS JOUÉ ALLAIT ÊTRE ADAPTÉ EN DESSIN ANIMÉ ?

SINON TU NE SERAS JAMAIS À LA TÊTE DE LA YAZAWA FAMILY

TU POURRAIS QUAND MÊME TE SOUVENIR DES MANGAS DANS LESQUELS TU AS JOUÉ

QUEL MANGA ?

ISA-BEL-LA

...

ET PUIS QUE CELA M'AP-PORTERAIT-IL, D'ÊTRE À LA TÊTE DE CET-TE FAMILLE ?

TU SAIS TRÈS BIEN QUE JE N'AIME PAS LA COMPÉTITION, VOYONS

TU AS RAISON ...

comme c'est déplai-sant ...

MAIS SI TU NE FAIS RIEN, TU VAS JUSTE DEVENIR UN "PERSONNAGE DISPARU"

TU POUR-RAIS APPA-RAÎTRE DANS PLUS DE MANGAS ♡

CETTE HISTOIRE DEVIENDRA UN CHEF D'ŒUVRE

IL VA SANS DIRE QUE HACHI ME SERVIRA D'APPÂT ET SI À LA FIN DE L'HISTOIRE, ELLE SE LIE AVEC LE ROI DES DÉMONS, CE SERA PARFAIT

DANS CE CAS, DIS-LUI DE ME FAIRE AP-PARAÎTRE DANS "NANA", DANS LE RÔ-LE DU ROI DES DÉMONS

MAIS "NANA" RIS-QUE DE CONTINUER ENCORE LONG-TEMPS, ALORS JE DOUTE QUE L'AU-TEUR PUISSE COM-MENCER UNE AUTRE SÉRIE

"détective George Koizumi" par exemple

QU'EL-LE ÉCRIVE VITE UN NOU-VEAU MANGA DONT JE SERAI LE HÉ-ROS

DIS DE MA PART À AI YAZA-WA

OH, ALORS HACHI TE PLAÎT ?

c'est pourquoi nous nous ennuyons

SI JE LA DRESSE BIEN, ELLE FINIRA PAR DEVENIR UNE FEMME TELLE QUE JE LES AIME

ELLE EST SOUPLE D'ESPRIT, DOCILE ET AUSSI ASSEZ FORTE, L'AIR DE RIEN

ELLE EST DANS LE SOUS-SOL DE LA DEMEURE

DÉSIRES-TU LA RENCONTRER ?

♥

...

SI ELLE AVAIT ÉTÉ EN VIE, J'AURAIS FAIT D'ELLE MA SEPTIÈME ÉPOUSE ET JE L'AURAIS MANIPULÉE À SOUHAIT

LA PAUVRE

LA MALÉDICTION D'ADAM ?

ELLES ONT SANS DOUTE OUVERT LA PORTE AU MOMENT DU DERNIER QUARTIER DE LUNE

JE LES AI TROUVÉES ÉVANOUIES AU NIVEAU DE L'ESCALIER DE SECOURS CÔTÉ FORÊT, L'AUTRE JOUR

TU DEVRAIS BIEN LIRE LE MODE D'EMPLOI

ÇA, CE SONT DES CERCUEILS ET LES HUMAINS Y METTENT LEURS CADAVRES

ISABELLA

MAIS ELLE EST EN VIE !

elle est juste plongée dans un profond sommeil

...

C'EST AMUSANT ! CES FILLES VONT NOUS SERVIR DE COBAYES

CE N'EST RIEN

JE LES AI ACHETÉS PARCE QUE LE DESIGN M'A PLU, MAIS JE ME SUIS PEUT-ÊTRE FAIT AVOIR

CE QUI VEUT DIRE QU'ON PEUT ÉCHOUER ?

c'est louche

JE LIS...

D'OÙ LA FORME DE CERCUEIL... JE COMPRENDS MIEUX...

"SI VOUS NE PARVENEZ PAS À LES MAINTENIR EN VIE, PLACEZ-LES TRÈS LOIN SOUS TERRE, SANS LES SORTIR DE LA BOÎTE"

"ON PEUT Y PRÉSERVER DES ÊTRES VIVANTS VENANT DU MONDE DES HUMAINS TELS QUELS"

"CECI EST UNE CAPSULE DE CONSERVATION DE LA VIE NE NÉCESSITANT AUCUN ENTRETIEN"

TU AS TROUVÉ LES PARFAITS OTAGES !

DE PLUS, TANT QUE LES CORPS DES DEUX HÉROÏNES SONT ICI, NOUS POUVONS ESPÉRER APPARAÎTRE DANS LE MANGA

à bas para-kiss ! je veux dire... à bas George !

DANS CE CAS, IL FAUT TOUT FAIRE POUR QUE LE FILM SOIT UN SUCCÈS PHÉNOMÉNAL ET QUE "NANA" DEVIENNE ENCORE PLUS PASSIONNANT !

ce sont les chaînes de télé, qui

JE NE PENSE PAS QUE CE SOIT LUI QUI SOIT À L'ORIGINE DU PROJET DE DESSIN ANIMÉ...

CET ENFOIRÉ DE GEORGE...

UNE ADAPTATION EN DESSIN ANIMÉ ? QU'EST-CE QU'IL MIJOTE ENCORE ?

KLANG

C'ÉTAIT BIEN ?

AU "CAFÉ DE LA VOIX CHANTANTE, ADAM" ?

AU 5ᵉ ?

j'ai lancé un avis de recherche

ON S'EST INQUIÉTÉS ! T'ÉTAIS OÙ ?

un revenant ?!

SHIN ?!

ME RE VOILÀ ...

ALORS J'AI CHERCHÉ TOUT AUTOUR, MAIS JE N'AI PAS VU L'OMBRE D'UNE PERSONNE ET C'ÉTAIT SUPER LUGUBRE

je veux plus jamais y retourner

MAIS J'AI EN- TENDU ADAM CHANTER, AU LOIN ...

LA GRILL ÉTAIT FER MÉE À CL ALORS J N'AI PAS PU ENTRE

JE VOIS PAS CE QUE TU VEUX DIRE

j'espère qu'ils n'ont rien

TU CROIS QU'ILS SONT OÙ, NOS CORPS ?

ON EST SI BIEN ICI QUE J'AVAIS OUBLIÉ, MAIS ...

NIOUUUUU

bonne nuit !

Éditions SHUEISHA Magazine COOKIE TOKYO

DIS, NANA ...

"LA PIÈCE DE JUNKO" VS "LE MANOIR D'ISABELLA". DU GRABUGE DANS LA FAMILY ?!

"Paradise Kiss", le dessin animé !

GEORGE EST DE RETOUR !!

ne le manquez pas !

Tous les jeudis à partir du mois d'octobre

A partir de 00 h 35 sur FUJI TV ♡

~ Ces horaires pourront varier selon les régions.

numéro du 12/08/2005

"Gokinjo, une vie de quartier"

Son prix est de **53 865 yens** (TTC)

trop cher

oui... a 50 sodes

Le dessin animé de "Gokinjo" que vous avez pu regarder il y a quelques années ressort sous la forme d'un coffret DVD ! Trop fort ! Il contient l'intégralité des cinquante épisodes diffusés à la télévision ! De plus, en plus de neuf DVD, vous y trouverez un sac spécial produits de beauté ♡

LE DESSIN ANIMÉ EN DVD

SORTIE LE 28 SEPTEMBRE !!

DESIGN super mignon Nouvelle RELIURE **Now PRINTING**

Format "SHIROKU", 19 cm Prix conseillé : 1 260 yens (TTC) SHUEISHA

"Paradise Kiss", qui est à présent adapté en dessin animé, est en fait la suite de "Gokinjo, une vie de quartier". Avant de vous plonger dans le monde de "Para-kiss", découvrez donc "Gokinjo" ! Les quatre volumes de la série sont au même format que ceux de "Tenshi nanka ja nai". Dans votre bibliothèque, les deux collections seront parfaites, côte à côte !

SÉRIE COMPLÈTE EN 4 VOLUMES

Ils sortiront les uns à la suite des autres à partir du 16 septembre !

🐾 RÉDACTION 🐾

SHIN-ICHI OKAZAKI	MISATO UEHARA [PSEUDO ?]	NOBUO TERASHIMA	NANA ÔSAKI	NANA KOMATSU

DEUX TRAINS NANA SUR LA LIGNE YAMANOTÉ DU JR !!

DURÉE LIMITÉE

Deux trains NANA vont être mis en service sur la ligne Yamanoté de la société de transport Japan Railways ! Nommés "Nana" et "Hachi", et customisés aux couleurs du manga pour l'occasion, ils vont circuler en rond dans Tokyo. Vous pourrez voir autour des portes et des fenêtres diverses illustrations couleurs de NANA spécialement agrandies. Bien entendu, il sera aussi possible de monter dans ces trains comme d'habitude. D'ailleurs, l'intérieur des wagons ne sera pas changé, alors ne vous enflammez pas trop ! Et comme ce ne sont que deux trains parmi beaucoup d'autres, nous ne pouvons pas vous garantir que vous pourrez y monter, mais si vous avez de la chance, vous tomberez à pic ♡Dans ce cas, faites attention de ne pas vous précipiter, de façon à ne pas vous blesser ou bousculer les autres passagers ! Décidément, il faut que vous passiez vos vacances d'été à Tokyo !

Du dimanche
14 août
au vendredi
9 septembre

Cookie

Sortie le 26 de chaque mois !

♡ Vous y trouverez parfois des cadeaux NANA ♡

(HP)http://cookie.shueisha.co.jp

Mekke !

De nombreux goods de la tournée de Blast actuellement en vente !

BLACK STONES

(HP)http://mekke.shueisha.co.jp

Le t-shirt que Nobu porte sur la jaquette de ce volume sera bientôt en vente ♡

☀ "MOBILE NANA" : LE SITE POUR VOS PORTABLES

COMMENT ACCÉDER AU SITE ?

i-mode [menu principal] ▶▶ [écrans de veille] ▶▶ [animes/mangas] ▶▶ [mobile nana]

EZweb [menu EZ] ▶▶ [recherche par catégorie] ▶▶ [images, personnages] ▶▶ [animes/comics] ▶▶ [mobile NANA]

Vodafone live ! [menu] ▶▶ [fonds d'écran, écrans de veille] ▶▶ [animes/mangas] ▶▶ [mobile NANA]

URL valable chez ces trois opérateurs
http://m.s-nana.com/

Si vous êtes fans de Nana, il faut vous inscrire ! De nouvelles illustrations spéciales tous les jours du lundi au vendredi ! De l'animation de démarrage inédite aux "déco-mails" (personnalisation des mails envoyés par portable au moyen d'animations, de dessins, de couleurs, de typographies... - ndt), on y trouve tout ce qu'on veut tellement il y a de choses ! Vous pouvez même vous essayer au quiz ou voter pour vos personnages préférés. Pour la grande première, il fallait voter pour "le personnage masculin avec lequel vous aimeriez coucher". Mais qui a gagné ?! Ça m'intrigue tellement que je ne vais pas réussir à trouver le sommeil cette nuit ♡

RECHERCHONS ADHÉRENTS FIDÈLES ♡

DU NOUVEAU SUR INTERNET ! "NANA ONLINE" : LE SITE OFFICIEL DE NANA

◆◆◆◆◆ Venez découvrir les toutes dernières infos ici !! ◆◆◆◆◆

http://www.s-nana.com/

Connectez-vous !

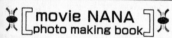
LES DERNIÈRES NOUVELLES AVANT LA SORTIE EN SALLE DU FILM "NANA" !!

[movie NANA photo making book]

Format A4 – Prix conseillé : 1 200 yens (TCC) Shueisha

Le livre du making of plein de photos inédites ! Vous y trouverez même une table ronde mono-polisée par Mika Nakashima (Nana), Aoi Miyazaki (Hachi) et Ai Yazawa (le roi des démons ?) !

"NANA FM707", LE DVD DU MAKING OF SORTIE LE 26 AOÛT ! (AGENT DE VENTE : TBS)

Une composition particulièrement élégante, centrée sur les discussions de Mlles Nakashima et Miyazawa ♡ Bien entendu, notre cher Kentarô apparaît aussi ! A voir !

ILS SORTENT AUJOURD'HUI !

[NANA novel from the movie]

Format poche - Prix conseillé : 680 yens (TTC) Shueisha

C'est une nouvelle fois à Kanae Shimokawa que nous avons confié la précieuse no-vellisation du film "Nana". Et le résultat est magnifique ! En outre, à la fin du livre, vous pourrez découvrir une section spéciale "La pièce de Junko, édition virtuelle (?)", avec Anna Nose (Junko), Yûta Hi-raoka (Shôji) et Takehisa Ta-kayama (Kyôsuke) !

AUTEUR : *Kanae Shimokawa*

SCÉNARIO : *Taeko Asano, Kentarô Ôtani*

UNE "EXPO NANA" POUR LA SORTIE DU FILM !!

Vous pourrez venir la découvrir à partir du 30 juillet, à Tokyo (Harajuku) et Ôsaka, puis dans tout le pays ! Elle passera peut-être aussi dans votre ville ! Vérifiez vite !

Dans la BO :"ENDLESS STORY"
REIRA starring YUNA ITO
(Sony Music Entertainment Records)

SORTIE le jeudi 7 septembre !

Il paraît que Yuna Itô a été choisie pour le rôle de Reira lors des auditions pour ses "capacités vocales incomparables" ♡ Cette chanson la lance donc sur la scène profes-sionnelle. Nous avons beaucoup d'espoir en elle !

SITE OFFICIEL DU FILM "NANA"

ttp://www.nana-movie.com

Toutes les infos concernant le film sont ici !

Chanson principale : **"GLAMOROUS SKY"**
NANA starring MIKA NAKASHIMA
Paroles : Ai Yazawa   Musique : HYDE

"Quoi ?! Adam a composé le morceau et la directrice de l'école Yazawa a écrit les pa-roles ?!" Si telle a été votre première réac-tion, c'est que vous êtes membre à part en-tière de la Yazawa Family. Blast, qui est à l'origine du morceau, leur a bien dit que ça ne devait pas être "le genre de chansons sur lesquelles les lycéennes aiment s'éclater au karaoké". Mais comme il s'agit tout de même du générique du film, nous l'avons créé en y mettant tout notre cœur et de façon à ce qu'il puisse être apprécié par un maximum de personnes. Les paroles étant faciles à apprendre par cœur, n'hésitez pas à vous y essayer au karaoké, en visant le meilleur score possible* ♡

SORTIE le jeudi 31 août !

* Japon, dans certains karaokés, plus on chante juste et en rythme, plus on obtient de points.

Elle chante ses rêves.

NANA

Mika Nakashima – Aoi Miyazaki –
Hiroki Narimiya – Yûta Hiraoka – Tomoki Maruyama –
Ken-ichi Matsuyama – Tetsuji Tamayama / Ryûhei Matsud

D'après le manga "NANA" de Ai Yazawa (prépublié dans "Cookie", magazine de Shueisha), avec le soutien du
Yazawa Manga Seisakusho
Scénario : Tanka Asano, Kentarô Ôtani / Réalisation : Kentarô Ôtani
Chanson principale : NANA starring MIKA NAKASHIMA "GLAMOROUS SKY" (Sony Music Entertainment Records)
Dans le film : REIRA starring YUNA ITO "ENDLESS STORY" (Sony Music Entertainment Records)
Production : Comité de production de "NANA" / TBS / Toho / SEDIC International / Shueisha / True Project / IMJ En-
tertainment / MBS / Aniplex
Distribution : Toho © 2005 Comité de production de "NANA"
www.nana-movie.com   Pour les portables, envoyez un mail à nana@dwango.tv

C'EST AINSI QUE TOUTES DEUX ENTRETIENNENT LEURS RÊVES. SORTIE NATIONALE LE 3 SEPTEMBRE.

Elle aime pour ses rêves.

Chers lecteurs,

Merci encore à vous tous, pour vos dessins et lettres d'encouragements.
Nous comptions publier une vingtaine de vos œuvres, mais nous n'en avons malheureusement pas eu l'autorisation.

Vos dessins nous sont parvenus en grand nombre, ce qui ne nous a pas facilité la tâche quant à leur sélection.

Si la place et les délais nous le permettent, nous rééditerons l'expérience lors du prochain volume, prévu pour le mois de septembre 2006.

N'hésitez donc pas à nous envoyer de nouveaux dessins à l'adresse suivante :

AKATA / Fanart NANA
13, les Bosnages
87290 RANCON
FRANCE

Vous pouvez également nous contacter par mail en écrivant à akata@akata.fr.
Si vous nous faites parvenir vos dessins par internet, envoyez-les-nous dans une bonne définition (300 dpi).

À bientôt dans le volume 14 !

L'équipe manga

Charlotte BONNET
Chalon sur Saône

Bonjour !

Nous sommes deux sœurs
de 14 et 10 ans :
Rozenn et Loeïza de Paris.

Cela fait longtemps
que nous lisons "Nana".
Nous adorons ce manga,

c'est le meilleur que l'on
connaisse.
Nous vous remercions de
l'avoir traduit et publié.

Voici Sachiko et les deux
nanas, héroïnes de ce manga

Rozenn Hotte
Paris

Rozenn et Loeïza HOTTE
Paris

Aude JULIENNE
Montpellier

NANA OSAKI

Nathalie GIRAUD
Paris

Sandra CHRISTINE

Moreau Annabelle, 13 ans

Anabelle MOREAU
Azay-Le-Rideau

Surtout n'oublie pas
L'éclat de nos rêves
. . .

C.W.

C.W.

Caroline WEZ
Lyon

PS: SPÉCIALE DÉDICACE A MARGUERITE QUI DU HAUT DES ALPAGES VOUS DÉVORE !!!

Manve MOREAU
Grenoble

Laure OURMIÈRES
Paris

CHEZ

LE MÊME

ÉDITEUR

Pour les passionnés d'Ai Yazawa et de l'univers haut en couleur de la série *Nana*, voici un volume "hors-série" indispensable, truffé d'informations et d'anecdotes !

Ce livre de 208 Pages (dont 16 sont en couleurs !) est une sorte de magazine au format poche ayant comme thème unique l'univers complet de la série *Nana*. Des photos couleurs, des illustrations, une interview de l'auteur, un glossaire détaillé, une présentation des lieux réels qui ont servi à la création de l'œuvre, etc. Tout est présent pour permettre au lecteur de mieux connaître le monde de Nana et Hachi, et ainsi de plonger un peu plus dans la culture pop et le quotidien de "djeuns" japonais !

Nana 7.8 – Le Fan Book
Par Ai Yazawa

Mikako et Tsutomu sont amis d'enfance, ils habitent le même immeuble, fréquentent le même lycée d'art : l'Académie Yazawa. Mikako rêve d'ouvrir sa propre chaîne de boutiques de vêtements ! Quand, un soir, Tsutomu rentre chez lui accompagné par une fille, le cœur de Mikako vacille... Quel est ce sentiment qu'elle ressent ? Malgré les sous-entendus de sa copine Risa, Mikako ne comprend pas. Voici une histoire touchante et drôle qui décrit les relations troublantes qui existent parfois entre des adolescents, quand amour et amitié se confondent.

Gokinjo, une vie de quartier d'Ai Yazawa

Série en 7 volumes ;
192 à 224 pages n&b.

DÉCLIC AMOUREUX

Maki est une lycéenne dotée d'un grand talent pour la photo. Fascinée par le bruit du déclencheur, elle ne se lasse pas de prendre des clichés de Yumi, sa copine toujours à la recherche du prince charmant. Un jour, le chemin de Maki croise celui d'un photographe professionnel qui remarque immédiatement son potentiel. Il va savoir la convaincre de participer à un concours, mais cette attention n'est pas dénuée d'intérêt. Quelle idée peut-il avoir derrière la tête ? Quelles expériences attendent Yumi et Maki, ces deux jeunes filles à peine sorties de l'adolescence ?

Déclic amoureux de **Mari Okazaki**
One-shot. 192 pages n&b.

Nénohi, une jeune lycéenne au comportement libéré, n'hésite pas à coucher avec un garçon dès leur première rencontre ! Alors qu'elle rentre d'une soirée arrosée, elle rencontre un jeune boxeur et pour Nénohi, c'est le coup de foudre… Mais elle va se découvrir une rivale impalpable et exigeante : la boxe. Car lui n'a qu'un seul objectif : devenir champion du monde. De plus, s'il s'entraîne comme un fou, c'est aussi pour s'affranchir d'un passé douloureux. Alors, amour et boxe peuvent-ils être compatibles ? Qui du sport ou de l'amour sortira vainqueur de ce combat acharné ? *BX* est un manga qui traite des réalités contemporaines avec le même esprit que *Nana*.

_BX_ de Mari Okazaki
One-shot ; 224 pages n&b.

Le décor est celui d'une petite supérette ouverte jour et nuit, à Tokyo. C'est là que travaille Rikuo Uozumi, un jeune homme tout juste sorti de l'université. Sans grande ambition, il n'a rien trouvé, ou plutôt rien cherché à faire de mieux depuis qu'il a arrêté ses études. Le retour d'un ancien amour d'étudiant et l'arrivée tonitruante d'une jeune fille excentrique parviendront-ils à le faire sortir de sa léthargie ? Dans ce petit théâtre de quartier, c'est l'éternelle comédie des sentiments qui se joue...

Sing "Yesterday" for me de **Kei Toume**
4 volumes parus, volume 5 à paraître ;
224 à 256 pages n&b. Série en cours.

Kei Toume

SING "YESTERDAY" FOR ME

DELCOURT

4

Des parents capables du pire pour protéger leur incorrigible rejeton, une jeune femme prête à offrir sa virginité en échange de quelques liasses de billets, un abruti qui se refuse à respecter les interdictions, un malheureux pris pour cible par un journal à scandale... Il faut de tout pour faire un monde ! Voici une sélection de premier choix des plus beaux spécimens d'imbéciles heureux, amoraux et égoïstes. Ils ne reculent devant rien pour accomplir leurs sordides desseins ! Vous allez découvrir de nouvelles légendes urbaines contées avec talent dans ce manga corrosif où tout est possible... Surtout le pire !

Imbéciles heureux ! d'Eishô Shaku
Série en 3 volumes ; 224 à 256 pages n&b.

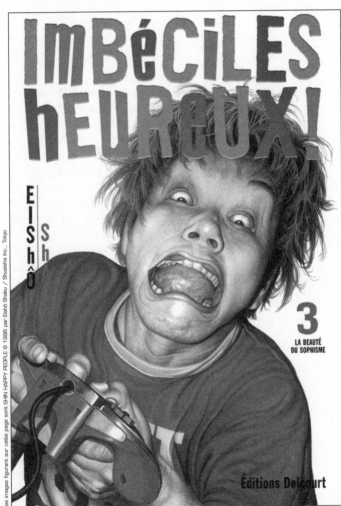

Nous voulions vous réserver une petite surprise pour ce volume et avions demandé à nos collaborateurs internes et externes d'exprimer leur talent sur le thème de *Nana*, le but étant de vous montrer, ainsi qu'à l'auteur, comment est perçue l'œuvre par les personnes participant à tous les niveaux du processus de réalisation de la version française.

Malheureusement, là aussi, l'autorisation ne nous a pas été accordée.

Le sujet étant libre, ceux qui se sont prêtés au jeu l'ont parfois fait de manière très... libre !

Merci à Yao, Florent, Myriam, Agnès, François, Éric, Sylvain et Guillaume d'avoir joué le jeu et accordé un peu de leur temps pour nous faire partager leur vision de *Nana*.

Vous pouvez retrouver la version couleurs de leurs dessins sur les sites Delcourt et Akata :
www.editions-delcourt.fr
www.akata.fr

L'équipe manga

NANA by Ai Yazawa
© 2000 by Yazawa Manga Seisakusho
All rights reserved.
First published in Japan in 2000 by SHUEISHA Inc., Tokyo
French translation rights in France, Belgium, Luxembourg, Switzerland and Canada
arranged by SHUEISHA Inc. through VIZ Media, LLC, U.S.A.

Supervision éditoriale : Akata

© 2004 Guy Delcourt Productions pour la présente édition.
Dépôt légal : mai 2006. I.S.B.N. : 978-2-7560-0234-7

Traduction et adaptation : Sae Cibot
Adaptation graphique : Éliette Blatché
Conception graphique : Trait pour Trait

Imprimé et relié en septembre 2007
sur les presses de l'imprimerie Aubin, à Ligugé.

www.akata.fr
www.editions-delcourt.fr